RICETTE PER LA COLAZIONE

Ricette facili, salutari e gustose per la cucina quotidiana

Leonardo Pilleri

Tutti i diritti riservati.

Disclaimer

Le informazioni contenute in i intendono servire come una raccolta completa di strategie sulle quali l'autore di questo eBook ha svolto delle ricerche. Riassunti, strategie, suggerimenti e trucchi sono solo raccomandazioni dell'autore e la lettura di questo eBook non garantirà che i propri risultati rispecchino esattamente i risultati dell'autore. L'autore dell'eBook ha compiuto ogni ragionevole sforzo per fornire informazioni aggiornate e accurate ai lettori dell'eBook. L'autore ed èi dipendenti non saranno ritenuti responsabili per eventuali errori o omissioni involontarie che potrebbero essere riscontrati. Il materiale nell'eBook può includere informazioni di terzi. I materiali di terze parti comprendono le opinioni espresse dai rispettivi proprietari. In quanto tale, l'autore dell'eBook non si assume alcuna responsabilità per materiale o opinioni di terzi. Che sia a causa del progresso di Internet o dei cambiamenti imprevisti nella politica aziendale e nelle linee guida per l'invio editoriale, ciò che è dichiarato come fatto al momento della stesura di questo documento potrebbe diventare obsoleto o inapplicabile in seguito.

Sommario

INTRODUZIONE

COLAZIONE

Il cibo consumato al mattino è la nostra prima fonte di energia dopo un lungo periodo di digiuno. Mentre dormiamo, il nostro corpo continua ad aver bisogno di energia, che viene ottenuta dalle riserve del nostro corpo poiché sono disponibili fonti esterne come il cibo. Quindi, è molto comune sentire la frase: "la colazione è il pasto più importante della giornata" e in effetti lo è per tutti, che soffrano o meno di diabete, poiché fornisce nutrienti ed energia per mantenere il corpo attivo durante tutto il giorno.

Le prestazioni intellettuali e fisiche sono più elevate nei bambini e negli adolescenti che consumano correttamente la colazione. Una buona colazione fornisce dal 20% al 25% del fabbisogno calorico giornaliero, il che aiuta a raggiungere un apporto di nutrienti adeguati come vitamine, minerali, proteine, carboidrati e grassi.

Inoltre, sia negli adulti che nei bambini e negli adolescenti, saltare la colazione contribuisce a una maggiore probabilità di soffrire di obesità e diabete.

Le persone che non fanno colazione hanno maggiori probabilità di soffrire di obesità poiché dopo essersi sottoposti a digiuni prolungati, il nostro corpo risponde accumulando parte dell'energia ricevuta dai primi alimenti come riserva sotto forma di grasso.

Inoltre, la International Diabetes Federation riconosce la colazione come parte fondamentale nella prevenzione e nel mantenimento delle persone con diabete, ad esempio, si è visto che le persone affette da diabete di tipo 2 che saltano la colazione possono presentare picchi elevati dei livelli di glucosio nel sangue dopo pranzo e cena.

Quali colazioni non sono salutari?

Il grosso problema con la colazione è che la maggior parte delle persone tende a prepararla con ingredienti malsani. Per questo molti non riescono ad ottenere i benefici menzionati. Ecco gli errori più comuni della colazione oggi:

Eccesso di carboidrati raffinati: pane bianco, pasticcini, pasticcini, cereali industriali. Tutti questi causano picchi di zucchero e ci rendono di nuovo affamati poco tempo dopo. Inoltre, come sottolinea uno studio pubblicato sull'American Journal of Clinical Nutrition, possono contribuire all'obesità e al diabete a lungo termine.

Zuccheri in eccesso, soprattutto zucchero bianco : gli effetti negativi che lo zucchero aggiunto provoca nell'organismo sono oggetto di controversia. Tuttavia, una ricerca pubblicata su Critical Reviews in Clinical Laboratory Sciences suggerisce che è collegata a un aumento del rischio di obesità e problemi metabolici. Pertanto, i prodotti zuccherini per la colazione non sono una buona opzione.

Latticini in eccesso: fino a quando non si ha un'intolleranza, i latticini possono essere consumati con moderazione. In effetti, uno studio pubblicato su Food and Nutrition Review ha scoperto che aiutano a soddisfare le raccomandazioni sui nutrienti e possono proteggere dalle malattie croniche. L'errore che si può commettere incorporandoli a colazione è mangiarli in quantità eccessive.

Prodotti ultra lavorati: salsicce, fritture, conserve, pasticcini e in generale qualsiasi tipo di prodotto ultra trasformato è una cattiva opzione per la colazione e la dieta in generale. Non solo contengono grandi quantità di zuccheri e grassi trans, ma anche sostanze chimiche che possono influire sulla salute.

Come ottenere una colazione equilibrata?

Perché un pasto sia equilibrato, deve contenere la quantità necessaria, né più né meno, di carboidrati, proteine, grassi, fibre e vitamine e minerali. In questo modo, il corpo lo digerirà e lo assimilerà correttamente e sentiremo di essere con energia e buon umore per tutto il giorno.

Inoltre, dobbiamo provare che questi nutrienti siano della massima qualità possibile. Ciò è fattibile se si scelgono sempre cibi naturali e freschi rispetto a quelli elaborati.

Top 10: buoni motivi per una colazione sana

La colazione può essere così buona - a una tavola apparecchiata in modo opulento, con succo d'arancia appena spremuto e panini da forno caldi. Anche un minuscolo espresso con uno spuntino veloce non deve essere annusato. In generale, vale quanto segue: chi fa colazione vive in modo più sano. Coloro che fanno anche una colazione sana hanno un chiaro vantaggio: i dieci motivi più importanti per questo.

Motivo n. 1: le basi perfette della nutrizione

Se inizi la giornata con una sana colazione, crei una base solida per tutte le attività. È immune alle voglie di cibo e può lavorare a pieno regime per ore. La base di questo effetto positivo è il nostro livello di zucchero nel sangue, che aumenta gradualmente dopo la colazione "giusta" e poi scende di nuovo solo lentamente. Il "giusto" sta per alimenti ricchi di proteine con carboidrati complessi. Entrambi sono contenuti in un sano muesli con un po 'di yogurt, per esempio.

Motivo n. 2: perdere peso al mattino

Puoi capovolgerlo come vuoi: dobbiamo usare più energia di quella che consumiamo attraverso il cibo, altrimenti non ci sarà nulla con la perdita di peso. Tuttavia, molti fattori giocano un ruolo nel consumo di energia stesso, compreso l'indice glicemico. In parole povere, significa: se il cibo rilascia la sua energia lentamente, il nostro motore a combustione interna rimane in funzione più a lungo. Ci sentiamo pieni e in forma, anche senza ulteriori dolcetti. Questo criterio è soddisfatto, ad esempio, dalla frutta, che non dovrebbe mancare su nessun tavolo della colazione.

Motivo n. 3: perdere peso e andare avanti

Come riportato tempo fa dal "Focus", le università italiane hanno dimostrato nei test che anche la colazione ha un effetto positivo rispetto all'astinenza alimentare. Coloro che non fanno colazione hanno maggiori probabilità di avere problemi di figura rispetto alle persone che tradizionalmente cercano panini, marmellata e caffè. Anche qui il motivo è che il nostro metabolismo non si avvia senza la sferzata di energia mattutina, che spesso sentiamo nella mancanza di spinta. Tuttavia, la teoria di banchettare la mattina "come un re" non è stata confermata. Un pasto leggero per iniziare la giornata è più efficace.

Motivo n. 4: forma fisica e forza mentale

Al di là di calorie, carboidrati e vitamine, una sana colazione ha un altro effetto, spesso sottovalutato: ci dà il tempo di riprenderci per poterci concentrare e svolgere con sicurezza la nostra giornata di lavoro. Chiunque si precipiti a colazione sta sprecando la possibilità di evitare errori attraverso un frenetico attivista. Il tempo che dedichiamo alla colazione è ben investito.

Motivo n. 5: il modo di vivere

Una sana colazione ha stile. Lo stile non viene né testato agli esami né valutato all'università, ma decide del nostro lavoro e della nostra carriera - spesso almeno, per lo più non ne sappiamo nulla. A proposito, il nostro stile di vita individuale determina anche la nostra felicità. Una colazione sana non è solo elegante, ma ti rende anche felice.

Motivo # 6 - Vitamine per il fitness

Mangia vitamine, si diceva fin dall'infanzia. Giustamente, perché la nostra forma fisica e il nostro benessere dipendono da questo. Le vitamine fanno parte dell'inizio della giornata e la frutta non è l'unica fonte di esse. I prodotti integrali contengono molta vitamina B e il muesli è ricco di vitamina E. Il nostro corpo ha bisogno sia per il metabolismo che per proteggere le cellule.

Motivo # 7: la colazione è una questione di gusti

I tedeschi sono considerati dei burberi scontrosi, anche nel confronto europeo. Secondo un sondaggio dell'istituto di ricerche di mercato Metrix LAB, il 6% dei tedeschi ne fa completamente a meno. Altri studi presumono numeri molto più alti. Soprattutto, il fattore piacere potrebbe cambiare questo aspetto, perché una colazione sana può sicuramente avere un buon sapore. Ciò che conta è il gusto individuale e la conoscenza delle possibilità, perché quasi ogni colazione preferita può essere resa sana. Devi solo sapere come e prenderti il tempo per prepararti.

Motivo 8: la varietà di colazioni salutari

Che si tratti di muesli, frullati, uova strapazzate, bistecche o snack, al tavolo della cucina o dal ricco buffet, la colazione ha molte varianti. Coloro che continuano a reinventare le loro colazioni portano varietà alla giornata, soprattutto nei fine settimana. Quindi, puoi tranquillamente fare una colazione completa come bevanda e fare comunque qualcosa per la tua salute. Le possibilità per le sole uova strapazzate sono illimitate, ingredienti extra come erbe e pomodori assicurano gusto e ingredienti sani.

Motivo n. 9: socializzare

Nelle famiglie in particolare, i pasti sono spesso l'unica occasione per ritrovarsi e scambiare due parole. Tuttavia, questa opportunità viene utilizzata solo dal 41% dei genitori, secondo il risultato del sondaggio Metrix LAB, avviato nel 2011. La colazione diventa anche una componente sociale, che evita una serie di problemi. La breve conversazione mattutina è solo una componente, ma una delle basi.

Motivo n. 10: in modo proattivo per una colazione sana

La preparazione di una sana colazione - anche per dimagrire - è quindi facile perché non ci sono prodotti già pronti. Qui ti mescoli e sfrigoli quasi sempre da solo, quindi decidi tu cosa ci va dentro. Con moderazione, il miele e lo sciroppo d'acero sono molto utili per il fitness e la salute, così come la pancetta e il pesce affumicato. Chi ama sperimentare imparerà subito per il prossimo banchetto con gli amici o per il brunch domenicale.

Una colazione ottimale dovrebbe includere:

Pane e cereali preferibilmente cereali integrali che forniscono all'organismo fibre e carboidrati che forniscono energia, vitamine e minerali.

Prodotti lattiero-caseari a basso contenuto di grassi che forniscono proteine, calcio e vitamine.

Frutti che forniscono acqua, vitamine, minerali e fibre.

Alimenti proteici che forniscono proteine, grassi, vitamine e minerali.

Ricorda che la colazione fa parte delle nostre sane abitudini, non dimenticarti di farlo tutti i giorni.

I TRE CIBI CHIAVE PER UNA BUONA COLAZIONE

Latte o derivati del latte, come yogurt o formaggio.

La proprietà più importante di questo gruppo di alimenti è il calcio e le proteine ad alto valore biologico. Contengono anche quantità significative di vitamine A, D, B12 e altri minerali come il fosforo. Sono però poveri di ferro, rame e vitamina C. Latte, nelle persone con sovrappeso e alterazioni dei lipidi nel sangue, è consigliabile assumerlo parzialmente scremato o scremato, con meno grassi e, quindi, meno calorie e colesterolo. Lo yogurt fornisce anche probiotici.

Cereali e derivati ma con fibre, come pane integrale, farina d'avena, ecc. Questo tipo di alimento fornisce principalmente carboidrati complessi, alcune proteine e pochi grassi, oltre a vitamine del gruppo B e minerali.

Sono un'importante fonte di energia per il corpo. Spicca l'apporto di vitamine del gruppo B e fibre, soprattutto se intere.

Frutta fresca.

Forniscono acqua, fibre, vitamine e minerali. Insieme alle verdure forniscono la maggior parte delle sostanze antiossidanti. Di solito si consumano soprattutto alla fine dei pasti perché sono molto efficaci nel facilitare l'assimilazione di molti nutrienti. Ma sono un'ottima opzione non solo per la colazione ma anche per uno spuntino.

La combinazione equilibrata di questi tre gruppi alimentari fornisce gli elementi di base: carboidrati, fibre, proteine, acqua e la quantità necessaria di grassi. Possono essere completati con altri alimenti come frutta secca (noci, mandorle, nocciole), cibi proteici come uova o formaggio e cibi grassi come l'olio extravergine di oliva. È importante ricordare che la bevanda perfetta per accompagnare una buona colazione è l'acqua.

Alimenti che dovrebbero essere mangiati sporadicamente, non regolarmente

Uno degli errori che di solito si commette a colazione è quello di rendere abituale il consumo di determinati alimenti quando in realtà il suo consumo dovrebbe essere di tanto in tanto. Si tratta di alimenti come zucchero, miele, marmellata, cioccolato, burro, succhi di frutta confezionati, pasticceria industriale, biscotti, cereali per la colazione zuccherati, salumi e altre carni lavorate.

L'abuso di questo tipo di alimenti e di bibite zuccherate sbilancia il normale apporto di carboidrati. Quello che effettivamente fanno è fornire una grande quantità di energia (dagli zuccheri) senza fornire alcun nutriente essenziale.

7 cose che dovresti sapere sulla colazione

Francis Bacon ha detto che "La speranza è una buona colazione ma una cattiva cena". Ma oltre alla speranza, ci sono altri cibi che ci fanno particolarmente bene se inseriti nel primo pasto della giornata.

Non saltarlo.

Secondo uno studio, sia i bambini che gli adulti che saltano il primo pasto della giornata tendono a mangiare peggio e conducono una vita più sedentaria. Inoltre tendono ad avere livelli più alti di colesterolo e insulina (e quindi più probabilità di soffrire di diabete e malattie cardiache) rispetto a coloro che fanno colazione.

Meno sovrappeso.

Uno studio del National Heart, Lung, and Blood Institute (USA) ha rivelato che le giovani donne che mangiano cereali per la colazione hanno un rapporto altezza vita inferiore, che è il miglior indicatore di assenza di sovrappeso e basso rischio cardiovascolare. Inoltre, uno studio della Scraton University ha rivelato che i cereali di grano o mais contengono più antiossidanti di qualsiasi altra colazione.

In un incontro.

Secondo un sondaggio One Poll, le riunioni durante la colazione sono più produttive delle riunioni nel pomeriggio. Il 67% dei soggetti è più predisposto ad essere attento durante la colazione.

Prima fai esercizio.

Un recente studio dell'Università di Birmingham pubblicato su Medicine & Science in Sports & Exercise ha dimostrato che una percentuale maggiore di grasso viene bruciata quando ci alleniamo prima di fare colazione. Tuttavia, se prima facciamo colazione e poi ci muoviamo, i carboidrati ingegnerizzati (cereali, pane, ecc.) Interrompono il metabolismo dei grassi per almeno 6 ore.

Meno piombo.

Uno studio sull'Environmental Health Journal ha rivelato che i bambini che fanno colazione ogni giorno hanno livelli più bassi di piombo nel sangue (15% in meno) rispetto a quelli che saltano questo pasto.

Se sei a dieta.

Gli adulti che cercano di perdere peso hanno più successo mangiando una colazione sana che evitandola e mangiando qualcosa a metà mattina. D'altra parte, uno studio del Pennington Center for Biomedical Research ha rivelato che mangiare uova a colazione aiuta a perdere tra il 60 e il 65% in più di peso nei soggetti sottoposti a una dieta dimagrante rispetto a qualsiasi altra colazione.

Senza colazione si fuma di più.

Secondo uno studio pubblicato sull'European Journal of Clinical Investigation, l'assenza della colazione è associata, oltre al sovrappeso, a una maggiore tendenza a fumare tabacco, consumare marijuana e bere alcolici.

RICETTE PER LA COLAZIONE

Pane Al Salmone Di Avocado

I ngredients F o 4 persone

- 1-2 cucchiaini di semi di sesamo sbucciati
- 2 cipollotti sottili (ca.40 g)
- lime
- avocado maturi (ca.400 g)
- sale e pepe
- 4 fette (80-100 g ciascuna) Pane integrale con chicchi
- 6 fette (ca.150 g) di salmone affumicato

preparazione

15 minuti

1 Tostare i semi di sesamo in una padella senza grasso, toglierli subito e lasciarli raffreddare. Mondate e lavate i cipollotti, asciugateli e tagliateli a rotoli fini. Spremi il lime.
2 Tagliare a metà gli avocado, rimuovere il nocciolo e rimuovere la polpa dalla pelle con un

cucchiaio. Condire la polpa di avocado con 2 cucchiai di succo di lime, condire con un po 'di sale e pepe e schiacciare leggermente con una forchetta.

3 Spennellare le fette di pane con la polpa di avocado e coprire ciascuna con 1 1/2 fette di salmone. Cospargere con cipolline e semi di sesamo.

Informazioni nutrizionali

1 porzione circa :

360 kcal 14 g di proteine 16 g di grassi 35 g di carboidrati

Porridge di quinoa con uva e banana

Ingredienti per 4 persone

- 250 g di quinoa
- Bevanda alla mandorla da 750 ml
- 3 banane
- 350 g di uva blu senza semi
- 100 g di mandorle in mandorle
- 1 cucchiaio di cannella
- 4 cucchiai di miele liquido

preparazione

25 minuti

1 Sciacquare la quinoa in uno scolapasta con acqua tiepida. Portare a ebollizione la bevanda alle mandorle e la quinoa in una casseruola mescolando. Cuocere a fuoco lento all'impostazione più bassa per circa 15 minuti, fino a quando la maggior parte del liquido è stata assorbita.
2 Sbucciare le banane e tagliarle a pezzetti. Lavate e tagliate a metà l'uva. Mescolare metà delle banane e dell'uva nel porridge, lasciare in ammollo per circa 5 minuti.
3 Tritate grossolanamente le mandorle. Aggiungere la cannella e il miele al porridge, disporre in ciotole. Mettere sopra il resto dell'uva e delle banane e cospargere di mandorle.

Informazioni nutrizionali

1 persona circa :

590 kcal 2470 kJ16 g di proteine 19 g di grassi88 g di carboidrati

B frittelle ananas con i chicchi di mirtillo

Ingredienti per 4 persone

- 250 g di mirtilli (freschi o congelati)
- 1 cucchiaio di amido alimentare
- 1/4 l di succo di mela
- 3 cucchiai di sciroppo d'acero
- 2 banane mature
- 60 g di farina di cocco
- 2 cucchiaini di lievito in polvere
- cannella
- 4 ° uova (taglia M)
- 1/8 l di latte
- 6 cucchiai di olio
- 250 g di crema di latte

preparazione

30 minuti

1 Raccogli e lava i mirtilli freschi. Mescolare l'amido con 2 cucchiai di succo di mela fino a ottenere un composto omogeneo. Portare a ebollizione il resto del succo e lo sciroppo d'acero, incorporare l'amido e cuocere a fuoco lento per circa 2 minuti. Aggiungere i frutti di bosco freschi o congelati, continuare a cuocere a fuoco lento per ca. Cinque minuti. Lascia che la composta si raffreddi un po 'o si raffreddi completamente.

2 Sbucciate le banane, tritatele con una forchetta. Mescolare la farina, il lievito e 1/4 cucchiaino di cannella. Sbattere le uova, il latte e 4 cucchiai di olio, mescolare con la purea di banana e il mix di farina per formare un impasto liscio.

3 Scaldare 2 cucchiai di olio in una padella larga. Cuocere 12 frittelle dalla pastella fino a doratura in circa 4 minuti, girandole una volta. Servire le frittelle con quark, composta di mirtilli e possibilmente fette di banana.

Informazioni nutrizionali

1 porzione circa :

520 kcal19 g di proteine31 g di grassi37 g di carboidrati

Uova strapazzate con cipolline su tutto
pasto pane

Ingredienti per 1 pe rson

- 2 manici Prezzemolo e aneto
- 1 cipollotto
- 1 pomodoro
- 1 uovo (taglia M)
- sale
- 1 fetta di pane integrale
- Pepe
- Olio

preparazione

10 min

1 Lavate le erbe aromatiche, scuotetele per asciugarle, togliete le foglie dai gambi e tritatele. Mondate e lavate i cipollotti e tagliateli ad anelli tranne che per guarnire. Lavare e mondare i pomodori, tagliare 2 fette e tagliare a cubetti i pomodori rimanenti. Sbatti l'uovo e le erbe. Condite con sale

2 Spennellare una padella rivestita con olio e riscaldare. In una padella calda soffriggere brevemente gli anelli di cipollotto e i pomodori a cubetti. Condite con sale. Aggiungere l'uovo e fermare mescolando

3 Disporre il pane, le fette di pomodoro e le uova strapazzate su un piatto. Guarnire con i cipollotti. Condite con pepe

Informazioni nutrizionali

1 persona circa :

190 kcal 790 kJ 12 g di proteine 7 g di grassi 20 g di carboidrati

Pane integrale con crema di formaggio di capra, prosciutto e spicchi di pera

Ingredienti per 4 persone

- 1 pera
- 4 fette di pane integrale (ca.45 g ciascuna)
- 2 cucchiai di crema di formaggio di capra
- 4 fette di prosciutto di Parma (ca.15 g l'una)
- pepe appena macinato
- preparazione

10 min

1 Lavate la pera, asciugatela in un quarto, eliminate il torsolo e tagliatela a spicchi.

2 Spalmare la crema di formaggio sul pane, adagiarvi sopra il prosciutto e guarnire gli spicchi di pera. Cospargere di pepe.

Informazioni nutrizionali

1 persona circa :

150 kcal630 kJ6 g di proteine 3 g di grassi23 g di carboidrati

Toast integrale con banana, ricotta e mandorle

Ingredienti per 4 persone

- 2 banane
- 30 g di mandorle a scaglie
- 3 cucchiai di miele liquido
- 1 tazza (200 g) di crema di formaggio granuloso
- 8 fette di pane tostato integrale
- crescione

preparazione

15 minuti

1 Pelare le banane e tagliarle a pezzi. Scaldare una padella, aggiungere le banane, le mandorle e 2

cucchiai di miele, far caramellare. Mescolare la crema di formaggio e 1 cucchiaio di miele.

2 Tostare le fette di pane tostato, spennellare con crema di formaggio e disporre sopra le fette di banana.

3 Cospargere di crescione.

Informazioni nutrizionali

1 persona circa :

470 kcal1970 kJ14 g di proteine8 g di grassi48 g di carboidrati

Ciotola Mango con ricetta frutto della passione

Ingredienti per 2 persone

- 1 mango maturo
- 2 Frutto della passione
- 2 cucchiai di farina di semi di lino (negozio di alimenti naturali)
- 250 g di yogurt al cocco (vegano; ad esempio da Alnatura)
- 3 cucchiai di noci del Brasile
- 2 cucchiaini di semi di lino
- 1 cucchiaio di chips di cocco
- Frutto della passione e fiori commestibili per decorare

preparazione

10 min

1. Pelate il mango, tagliate la polpa dal nocciolo. Tagliare a fette circa ¼, il resto a cubetti. Tagliare a metà il frutto della passione, raschiare la polpa.
2. Frullare la farina di lino, la passione e la polpa di mango a dadini, mescolare con lo yogurt al cocco. Servire con fette di mango, noci del Brasile, semi di lino e scaglie di cocco. Se necessario, decorare con metà del frutto della passione e petali di fiori.

Informazioni nutrizionali

1 porzione circa :

430 kcal, 10 g di proteine, 29 g di grassi, 30 g di carboidrati

Budino di riso con topping al cocco

Ingredienti per 2 persone

- 1 cucchiaio di mandorle (senza pelle)
- 1 cucchiaio di anacardi
- 1 pezzo di zenzero (circa 2,5 cm ciascuno)
- 1 cucchiaio di datteri Medjoold snocciolati
- 60 g di riso basmati bianco
- 300 ml di latte intero
- 1/2 cucchiaino di burro chiarificato colmo (burro di panna dolce chiarificato)
- 1 cucchiaio di uvetta
- 5 baccelli di cardamomo (interi o solo i semi)
- 1 pizzico abbondante di curcuma macinata
- 1/2 cucchiaino di olio di cocco (facoltativo)
- 1 cucchiaino di chips di cocco (facoltativo)
- 1/2 cucchiaino di Jaggery (zucchero di canna integrale non raffinato a base di zucchero di canna o succo di palma; facoltativo)

preparazione

35 minuti (+ 60 minuti di attesa)

1 Tritate le mandorle o gli anacardi e metteteli a bagno in acqua per circa 1 ora. Sbucciare lo zenzero e tritarlo finemente. Trita i datteri. Sciacquate il riso in acqua fredda e scolatelo. Mettete 100 ml di acqua e gli altri ingredienti in una casseruola.

2 Portare lentamente il riso a ebollizione, mescolando di tanto in tanto. Quindi cuocere a fuoco lento per circa 20 minuti, fino a quando il riso è morbido e una pasta densa e cremosa.

3 Per la guarnizione, se usate, cuocete tutti gli ingredienti in una piccola casseruola per 1-2 minuti a fuoco medio, mescolando continuamente, finché le scaglie di cocco non saranno leggermente dorate e croccanti.

4 Riempire il budino di riso in due ciotole e, se utilizzato, guarnire con la guarnizione.

SUGGERIMENTO: rilassati: poiché il piatto contiene latte, non dovresti gustarlo prima o dopo un pasto salato o acido - in Ayurveda questa sarebbe una combinazione sfavorevole.

Informazioni nutrizionali

1 porzione circa :

370 kcal 9 g di proteine 17 g di grassi 43 g di carboidrati

Ricca torre di frittelle

Ingredienti per 4 persone

- 100 g di ravanello
- 1/ 2 cetriolo
- 300 g di ricotta
- Sale pepe
- 2 uova (taglia M)
- 1 cucchiaio di zucchero
- 5 cucchiai di olio
- 250 ml di latte
- 175 g di farina
- 1 cucchiaino di lievito in polvere
- 6 gambo (i) erba cipollina

P riparazione

30 minuti

1 Lavate i ravanelli, asciugateli, puliteli e grattugiateli grossolanamente. Lavare il cetriolo, strofinare, pulire e grattugiare grossolanamente. Mescolare il cetriolo e il ravanello con la ricotta. Aggiustare di sale e pepe.

2 Mescolare le uova, lo zucchero e un pizzico di sale con la frusta dello sbattitore elettrico fino a ottenere una crema. Incorporate 3 cucchiai di olio e il latte. Mescolare la farina e il lievito e incorporare.

3 Scaldare 2 cucchiai di olio in porzioni in una padella rivestita (circa 20 cm di diametro in basso). Cuocere un totale di 3 frittelle dalla pastella una dopo l'altra a fuoco medio per ca. 2 minuti su ogni lato fino a doratura. Impilare le frittelle cotte su un piatto preriscaldato e tenerle al caldo.

4 Distribuire la miscela di verdure e ricotta sulle frittelle e distribuirle in una torre. Lavate l'erba cipollina, asciugatela e tagliatela a rotoli fini. Disporre le torrette su un piatto, cospargere di erba cipollina e tagliarle in 4 pezzi.

Informazioni nutrizionali

1 porzione circa :

430 kcal 21 g di proteine 19 g di grassi 41 g di carboidrati

Bagel vegetariano vitale

Ingredienti per 4 persone

- 4 ° Bagel integrali
- 2 manciate di insalate di foglie tenere (es. Baby leaf)
- 1 cetriolo piccolo
- 50 g di germogli di erba medica
- 4 cucchiai di olio
- 4 ° uova (taglia M)
- Sale pepe
- 1 confezione (150 g cad.) Formaggio cremoso alle erbe (es. Di Miree)

preparazione

15 minuti

1 Se necessario, cuocere il bagel (vedere suggerimento). Nel frattempo lavate la lattuga e fatela asciugare. Lavare il cetriolo e tagliarlo a pezzi di ca. 9 cm di lunghezza. Taglia ogni lunghezza in ca. Fette spesse 1/2 cm. Sciacquare i germogli in uno scolapasta con acqua fredda e lasciarli sgocciolare.

2 Nel frattempo scaldate l'olio in una padella e fate soffriggere 4 uova al tegamino a fuoco medio. Dopo circa 3 minuti, capovolgere le uova e continuare a friggere per circa 1 minuto. Condire con sale e pepe.

3 Affettare i bagel orizzontalmente e spennellarli con la crema di formaggio. Completare con il cetriolo, la lattuga, le uova e i germogli. Metti la metà superiore del bagel sopra.

SUGGERIMENTO: spennellare gli spazi vuoti di bagel precotti del supermercato con tuorlo d'uovo (sbattuto con 2 cucchiai di panna montata), cospargere con semi di chia, fiocchi d'avena, semi di sesamo, noci tritate, ecc. Cuocere in forno caldo secondo le istruzioni sulla confezione .

Informazioni nutrizionali

1 porzione circa :

480 kcal 19 g di proteine 21 g di grassi53 g di carboidrato

Involtini integrali con crema di formaggio, ravanelli e germogli

Ingredienti per 1 pe rson

- 1 panino integrale
- 2 cucchiai (20 g ciascuno) Preparato di crema di formaggio (5% di grassi)
- 5 ravanelli
- 30 g di germogli di ravanello
- sale

preparazione

Cinque minuti

1 Tagliare a metà gli involtini integrali e ricoprire entrambi i lati con crema di formaggio. Mondate, lavate e affettate i ravanelli. Risciacquare e scolare i germogli di ravanello.
2 Distribuire le fette di ravanello e i germogli sulla metà inferiore del panino, aggiustare di sale e adagiarvi sopra la metà superiore

Informazioni nutrizionali

1 persona circa :

190 kcal790 kJ11 g di proteine 3 g di grassi 28 g di carboidrati

Pane integrale con avocado e semi di melograno

Ingredienti per 4 persone

- 1/ 2 melograno
- 1 tazza (200 g ciascuna) di formaggio cremoso granuloso
- 1 (circa 300 g) di avocado
- fette di pane integrale (ca.45 g ciascuna)
- Fiocchi di peperoncino

preparazione

15 minuti

1 Taglia a metà la melagrana e elimina i semi con un cucchiaio. Tagliare a metà l'avocado, eliminare il nocciolo, eliminare la polpa dalla pelle e tagliarlo a spicchi.

2 Spennellare le fette di pane con la crema di formaggio, adagiarvi sopra l'avocado come una tegola e spolverare con i semi di melograno e i fiocchi di peperoncino .

Informazioni nutrizionali

1 persona circa :

270 kcal1130 kJ11 g di proteine16 g di grassi22 g di carboidrati

Macedonia di frutta con pistacchi e sciroppo d'acero

Ingredienti per 4 persone

- 1 mela
- 2 banane
- Succo di 1/2 limone
- 1/4 (circa 250 g) di papaia
- 1/4 (circa 250 g) di ananas
- Frutto di cachi
- 20 g di pistacchi
- 4 cucchiaini di sciroppo d'acero

preparazione

20 minuti

1 Lavate, tagliate in quarti, torsolo e tagliate a cubetti la mela. Pelare e affettare le banane. Mettete la

frutta in una ciotola e irrorate con il succo di limone. Pelate la papaya, eliminate i semi con un cucchiaio. Ottava polpa e tagliata a fettine. Pelare e tagliare in quarti l'ananas e tagliare il gambo legnoso. Taglia l'ananas a pezzi. Pelare il cachi e tagliarlo a pezzetti. Schiacciare i pistacchi in un mortaio

2 Mescolare la mela, le banane, la papaia, l'ananas e il cachi in una ciotola. Distribuire su 4 ciotole. Versare sopra 1 cucchiaino di sciroppo d'acero e spolverare con i pistacchi

Informazioni nutrizionali

1 persona circa :

150 kcal630 kJ2 g di proteine 3 g di grassi 28 g di carboidrati

Frullato di banana e mandorle con granella di cacao

Ingredienti per 4 persone

- Banane
- 8 cucchiai di burro di mandorle
- 240 ml Bevanda alla mandorla
- 4 cucchiai di sciroppo d'agave
- 2 cucchiaini di cannella in polvere
- 4 cucchiai di fave di cacao
- 4 gambi di menta

preparazione

10 min

1 Taglia a pezzi 4 banane. Frullare finemente le banane, il burro di mandorle, la bevanda alle mandorle, lo sciroppo d'agave e la cannella. Mescola i pennini nel frullato, ad eccezione di qualcosa da spolverare.

2 Affetta 1 banana in diagonale e segna su un lato. Lavare la menta e scuotere per asciugare. Decorare i bordi del bicchiere con fettine di banana e menta. Dividere il frullato nei bicchieri e spolverare con le rimanenti granelle di cacao.

Informazioni nutrizionali

1 bicchiere circa :

370 kcal1550 kJ7 g di proteine 20 g di grassi42 g di carboidrati

Frullato di barbabietole e mele

Ingredienti per 3 persone

- 1 barbabietola piccola (ca.130 g l'una)
- 1 mela
- 1 carota
- 1/ 4 Cucumber
- 2-3 cucchiai di succo di limone
- 5 cubetti di ghiaccio
- 125 ml di succo di mela

preparazione

10 min

1 Pulite, sbucciate e tagliate 1 barbabietola piccola (circa 130 g) a pezzi grandi (attenzione, si macchia forte! Indossate guanti monouso). Lavate, tagliate in quarti e torsolo 1 mela.

2 Pelare, lavare e tagliare 1 carota. Lavare 1/4 del cetriolo e tagliarlo a pezzi. Frullare il tutto con 2-3 cucchiai di succo di limone, 5 cubetti di ghiaccio e 125 ml di succo di mela in un mixer ad alte prestazioni.

Informazioni nutrizionali

1 bicchiere circa :

80 kcal 1 g di proteine 1 g di grassi 16 g di carboidrati

Ciotola di frullato felice con cocco

Ingredienti per 4 persone

- 375 g lamponi (freschi o congelati)
- 3 banane mature
- 600 ml Bevanda al cocco o mandorle
- 6 cucchiai di Melt Flakes
- 1 lime biologico
- 60 g di mandorle (con la buccia)
- 40 g di chips di cocco

preparazione

20 minuti

1 Separare i lamponi freschi, lavarli se necessario. Lascia scongelare i lamponi congelati. Pelare le banane e tagliarle a pezzi grossi. Frullare finemente bevanda al cocco, banane, 250 g di lamponi, fiocchi sciolti e metà della scorza di lime (a seconda della dolcezza dei frutti di bosco, condire con sciroppo d'agave)

2 Tritate grossolanamente le mandorle. Versare il mix di lamponi nelle ciotole. Cospargere con 125 g di lamponi, mandorle, scaglie di cocco e il resto del lime.

Informazioni nutrizionali

1 porzione circa :

370 kcal 8 g di proteine 18 g di grassi 40 g di carboidrati

Muesli munchy croccante fuori dal forno

Ingredienti per 15 persone

- 250 g di fiocchi di farro integrale
- 100 g di arachidi tostate non salate
- 50 g di semi di girasole
- 50 g di sesamo
- 100 g Mandorle (con buccia)
- 6 cucchiai di miele liquido
- anice
- 100 g di mirtilli rossi secchi
- Pergamena

preparazione

20 minuti

1 Preriscaldare il forno (fornello elettrico: 180 ° C / convezione: 160 ° C / gas: vedere produttore). Foderare una teglia con carta da forno. Completare con fiocchi di farro integrale , arachidi, semi di girasole, semi di sesamo e mandorle e mescolare. Cospargere il composto con il miele e cuocere in forno caldo per circa 12 minuti fino a renderlo croccante.

2 Sfornare i cereali. Cospargere 1 cucchiaino di anice sopra, mescolare. Cuocere per altri 3 minuti. Incorporate i mirtilli rossi, fate raffreddare brevemente e, usando la carta da forno, versateli in un contenitore ben chiuso. Ottimo con yogurt e frutti di bosco!

Informazioni nutrizionali

1 porzione circa :

190 kcal 7 g di proteine 9 g di grassi 20 g di carboidrati

Crema allo yogurt ai mirtilli

Ingredienti per 1 persona

- 1 cucchiaino colmo di fiocchi d'avena croccanti
- 1/2 lime biologico
- 100 g di mirtilli
- 4 cucchiaini di miele liquido
- 300 g di yogurt al latte scremato

preparazione

10 min

1 Arrostire i fiocchi d'avena in una piccola padella antiaderente fino a doratura, toglierli e lasciarli raffreddare. Lavate il lime con acqua calda, asciugatelo, grattugiate finemente la buccia e spremete il succo. Dividi i mirtilli, lavali e asciugali tamponando. Aggiungere il miele e schiacciare un po '

2 Mescolare i mirtilli, il succo di lime, la scorza e lo yogurt. Versare lo yogurt in una ciotola e cospargere di farina d'avena

Informazioni nutrizionali

1 persona circa :

270 kcal1130 kJ15 g di proteine 2 g di grassi45 g di carboidrati

Muesli di mele di farro con yogurt

Ingredienti per 1 pe rson

- 50 g Fiocchi di Farro
- 1/2 cucchiaino di semi di sesamo
- 1/ 2 di Apple
- 1 cucchiaino di uva sultanina
- 1 cucchiaio di yogurt magro
- 1 cucchiaino di miele

preparazione

15 minuti

1 Arrostire i fiocchi di farro ei semi di sesamo in una padella senza grasso, girando per circa 5 minuti, togliere. Tagliare la mela in quarti, togliere il torsolo e tagliare a dadini la polpa, tranne una fetta sottile di mela per la decorazione.

2 Aggiungere l'uva sultanina e i cubetti di mela nella padella. Versate 4 cucchiai d'acqua e lasciate in ammollo nella padella chiusa per circa 5 minuti. Lascia raffreddare. Disporre il muesli e lo yogurt in una ciotola, irrorare con il miele e decorare con fettine di mela.

Informazioni nutrizionali

1 persona circa :

270 kcal 1130 kJ 8 g di proteine 3 g di grassi 52 g di carboidrati

Papaya con crema di formaggio granuloso

Ingredienti per 1 pe rson

- 100 g di papaia
- 200 g di formaggio spalmabile a grani
- 2 manici Melissa
- 1 cucchiaino di acqua minerale
- 1 cucchiaino di succo di limone

preparazione

10 min

1 Togli i semi dalla papaia. Pelare la polpa e tagliarla a cubetti. Mescolare la papaya e la crema di formaggio. Lavare la melissa, asciugarla tamponando, cogliere le foglie da 1 gambo e tritarle grossolanamente.

2 Mescolare le foglie, l'acqua minerale e il succo di limone nella crema di formaggio, disporre e decorare con il resto della melissa.

Informazioni nutrizionali

1 persona circa :

220 kcal920 kJ27 g di proteine9 g di grassi6 g di carboidrati

Muesli di carote riscaldante "Saluto al sole"

Ingredienti per 2 persone

- 200 g di carote
- 400 ml di latte
- 125 g di muesli alle noci
- 2- 3 secchi fichi molli
- 1 mela piccola (es.Elstar)
- 2 cucchiai di pistacchi tritati

preparazione

20 minuti

1 Pelare e grattugiare grossolanamente le carote. Portare il latte a ebollizione, incorporare il muesli e cuocere a fuoco lento per 1-2 minuti mescolando. Togliete dal fuoco, incorporate metà delle carote e lasciate in ammollo per circa 5 minuti.

2 Nel frattempo tritate i fichi a pezzetti. Lavare, tagliare in quarti e togliere il torsolo dalla mela e affettarla o tagliarla a fettine sottili. Riempi il porridge nelle ciotole. Mettere sopra la mela, i fichi, i pistacchi e il resto delle carote. Servite subito.

Informazioni nutrizionali

1 porzione circa :

380 kcal 13 g di proteine 13 g di grassi 50 g di carboidrati

Vivace yogurt con pesca e pistacchi

Ingredienti per 4 persone

- 4 pesche mature (o nettarine)
- 3 cucchiai + 4 cucchiaini di miele liquido
- cannella
- 2 cucchiai di succo di limone
- 4-6 cucchiai di succo d'arancia
- 3 cucchiai di crusca di frumento o di farro
- 500 g di yogurt greco (10% di grassi)
- 4 cucchiai di pistacchi

preparazione

15 minuti

1 Lavate, tagliate a metà e snocciolate le pesche. Tagliare a cubetti circa metà delle pesche. Frullare con 2 cucchiai di miele, 1 pizzico di cannella, limone e succo d'arancia. Mescolare la crusca.

2 Sbatti lo yogurt fino a ottenere un composto omogeneo. Distribuire alternativamente lo yogurt e la purea di pesche a strati sottili in 4 bicchieri. Tagliare le rimanenti pesche a spicchi stretti. Tritate grossolanamente i pistacchi. Spalmare entrambi sullo yogurt alla pesca. Condire con 1 cucchiaino di miele ciascuno.

Informazioni nutrizionali

1 porzione circa :

300 kcal 7 g di proteine 16 g di grassi 29 g di carboidrati

Casseruola di frittelle

Ingredienti per 4 persone

- zwieback
- 200 g di lamponi
- 1 cucchiaino + 3 cucchiai di zucchero di canna
- 1/2 cucchiaino di cannella
- 1/2 limone biologico
- 25 g di burro
- Uova (taglia M)
- 1 pizzico di sale
- 200 g di ricotta (semigrassa)
- 200 ml + 3 cucchiai di latte magro (1,5%)
- 200 g farina di farro (tipo 630)
- 1/2 bustina di lievito per dolci
- 4 cucchiaini di olio di semi di girasole
- 125 g di quark a basso contenuto di grassi
- Melissa

preparazione

50 minuti

1 Mettete le fette biscottate in un sacchetto per congelatore e schiacciatele grossolanamente con un mattarello. Separare i lamponi, lavarli e scolarli se necessario. Mescolare 1 cucchiaino di zucchero e cannella insieme. Lavate il limone con acqua calda, asciugatclo c grattugiate finemente la buccia.

2 Sciogliere 15 g di burro, lasciare raffreddare. Mescolare 2 uova, 2 cucchiai di zucchero, la scorza di limone e il sale con la frusta dello sbattitore a mano fino a ottenere una crema. Incorporare la ricotta, il burro fuso e 200 ml di latte. Mescolare la farina e il lievito e incorporare.

3 Scaldare l'olio in porzioni in una grande padella antiaderente. Cuocere 3 pancake uno dopo l'altro a fuoco medio su ciascun lato per circa 2 minuti fino a doratura. Togliere dalla teglia e adagiare in una pirofila. Fa un totale di 12-14 pancake.

4 Mescolare il quark, 1 uovo, 3 cucchiai di latte e 1 cucchiaio di zucchero. Distribuire i lamponi sulle frittelle e versarvi sopra il quark in modo uniforme. Distribuire sopra le fette   biscottate e coprire con lo zucchero alla cannella. Distribuire 10 g di burro sopra e cuocere in forno preriscaldato (fornello elettrico: 200 ° C / convezione: 175 ° C) sulla griglia centrale per 10–15 minuti. Cospargere con melissa e servire.

Informazioni nutrizionali

1 porzione circa :

500 kcal2100 kJ24 g di proteine18 g di grassi57 g di carboidrati

Power breakfast con uova, salsiccia chorizo e pomodori

Ingredienti per 4 persone

- 2 cipolle
- 200 g di pomodorini
- 150 g di salsiccia chorizo
- 2 cucchiai di olio di semi di girasole
- 4 ° uova (taglia M)
- 3 gambi di basilico
- sale
- Pepe

preparazione

25 minuti

1 Pelare e tagliare a metà le cipolle e tagliarle a listarelle sottili. Lavate, scolate e tagliate a metà i pomodori. Tagliare il chorizo a fette. Dividete l'olio in 2 padelle e scaldate.

2 Aggiungere mezze cipolle e il chorizo e soffriggere energicamente per circa 2 minuti girando, aggiungere i pomodori e sbattere 2 uova in ogni padella. Friggere per ca. 4 minuti a fuoco medio.

3 Lavare il basilico, scuotere per asciugarlo, strappare le foglie dai gambi e tritarle grossolanamente. Condire le uova con sale e pepe. Disporre le padelle e cospargere di basilico.

Informazioni nutrizionali

1 persona circa :

310 kcal 1300 kJ 17 g di proteine 25 g di grassi 4 g di carboidrati

Rotoli di yogurt dalla teglia a cerniera

Ingredienti per 8 persone

- 1 cubetto (42 g) di lievito
- 250 g di farina integrale
- 400 g farina di grano tenero (tipo 1050)
- 1 cucchiaino colmo di sale
- 75 g di zucchero
- 400 g di yogurt intero
- 3 cucchiai di olio d'oliva
- 1 cucchiaio di papavero
- 2 cucchiai di semi di girasole
- 1-2 cucchiai di semi di sesamo
- Farina
- Grasso

preparazione

45 minuti

1 Mescolare il lievito e 100 ml di acqua tiepida fino a che liscio. Mescolare la farina, il sale e lo zucchero in una ciotola e fare una fontana al centro. Mettete al centro il lievito sciolto e impastate con un po 'di farina dal bordo. Coprite con la farina e lasciate lievitare per circa 15 minuti.

2 Aggiungere lo yogurt e l'olio d'oliva al pre-impasto e impastare con il gancio per impastare dello sbattitore elettrico per formare un impasto liscio. Coprite l'impasto con la pellicola e lasciate lievitare in frigorifero per tutta la notte.

3 Lavorate l'impasto su una spianatoia infarinata e dividetelo in 8 pezzi uguali. Formare i pezzi di pasta in rotoli rotondi, quindi spennellare con acqua. Cospargere con semi di papavero, semi di girasole o semi di sesamo a piacere. Mettere gli involtini in uno stampo a cerniera unta (Ø 26 cm) e lasciar lievitare in un luogo caldo per 30–45 minuti fino a quando gli involtini non si saranno notevolmente ingranditi.

4 Cuocere in forno preriscaldato (fornello elettrico: 200 ° C / convezione: 175 ° C / gas: livello 3) per circa 25 minuti. Togliere gli involtini, lasciarli raffreddare per circa 10 minuti e toglierli dal bordo. Lasciar raffreddare su una gratella. Il quark con marmellata di ciliegie è buono con esso.

Informazioni nutrizionali

1 porzione circa :

400 kcal1680 kJ13 g di proteine10 g di grassi67 g di carboidrati

Tartine di salmone e rafano

Ingredienti per 6 persone

- 4-5 cucchiai di olio
- 1/ 2 Baguette del pane
- 250 g di crema di formaggio doppia panna
- 1 cucchiaino di rafano (vetro)
- 1/2 cucchiaino di senape di Digione
- Spruzzata di succo di limone
- Pepe
- sale
- 50 g di spinaci baby freschi
- 250 g di salmone affumicato a fette
- Lime biologico

preparazione

25 minuti

1 Tagliare il pane baguette in 16 fette sottili. Scaldare l'olio in porzioni in una padella larga. Arrostire le fette di pane in porzioni per 1-2 minuti su ciascun lato

2 Mescolare la crema di formaggio con il rafano e la senape. Condire a piacere con succo di limone, pepe e sale. Lavare gli spinaci baby e asciugarli. Tritare finemente 20 g di spinaci e incorporarli alla crema di formaggio

3 Spalmare la crema di formaggio sulle fette di pane, guarnire con i rimanenti fiocchi di spinaci e il salmone affumicato. Lavare il lime, asciugare e sbucciare la buccia a strisce sottili con una cerniera lampo. Cospargere il salmone con esso

Informazioni nutrizionali

1 persona circa :

220 kcal920 kJ10 g di proteine16 g di grassi9 g di carboidrati

Uova benedette

Ingredienti per 4 persone

- 4 cucchiai di aceto
- sale
- 4 ° uova (taglia M)
- avocado
- 2 cucchiai di succo di limone
- fette di prosciutto cotto (ca.20 g ciascuna)
- 1/4 mazzetto di erba cipollina
- 150 g di burro
- 2 tuorlo d' uovo (taglia M)
- 1 cucchiaio di crema di yogurt
- 2 fette biscottate di grano (circa 50 g l'una)
- Pepe

preparazione

25 minuti

1. Far bollire ca. 3 litri di acqua in una casseruola. Aggiungere l'aceto e il sale. Sbattete le uova una alla volta in una tazza. Usa una frusta per creare uno strudel nell'acqua di aceto e fai scivolare le uova una ad una nello strudel. Cuocete per circa 4 minuti. Sollevare e scolare su carta assorbente.

2. Tagliare a metà l'avocado, eliminare il nocciolo, eliminare la polpa dalla pelle e tagliarlo a spicchi. Condisci con 1 cucchiaio di succo di limone. Taglia a metà le fette di prosciutto. Lavare l'erba cipollina, scuoterla per asciugarla e tagliarla a rotoli fini.

3. Sciogliere il burro. Per la salsa, mescolare i tuorli d'uovo, lo yogurt, 1 pizzico di sale e 1 cucchiaio di succo di limone in una tazza alta e stretta con il frullatore a immersione. Versare lentamente il burro nella miscela di tuorlo d'uovo. Continuare a frullare fino ad ottenere una salsa omogenea.

4. Tagliare a metà i toast e i toast. Coprire le metà del pane tostato con prosciutto, avocado e uova, cospargere di erba cipollina e condire con la salsa. Cospargere di pepe grosso.

Informazioni nutrizionali

1 pezzo circa :

640 kcal 2680 kJ18 g di proteine57 g di grassi12 g di carboidrati

Flotta Franzbrötchen

Ingredienti per 9 persone

- 1 confezione (530 g ciascuna) Pastella per dolci lievitati (ripiano refrigerante)
- 50 g di burro morbido
- 150 g di marmellata di fragole
- 1 uovo (taglia M)
- 1 cucchiaio di latte
- 1-2 cucchiai di zucchero semolato
- Pergamena

preparazione

45 minuti

1 Preriscaldare il forno (fornello elettrico: 180 ° C / convezione: 160 ° C / gas: vedere produttore). Foderare due teglie con carta da forno. Srotolare la pasta e spalmare sopra il burro. Mescolare la marmellata fino a renderla liscia e distribuirla anche sopra. Arrotolare la pasta dal lato lungo.

2 In alternativa, tagliare il mattarello in diagonale in circa 9 pezzi in modo che un lato dei pezzi sia lungo 3 cm e l'altro lungo 5 cm. Disporli sulle teglie con il lato largo rivolto verso il basso. Premere al centro. Sbattere insieme l'uovo e il latte e spennellare i Franzbrötchen. Cospargere di zucchero semolato. Cuocere in forno caldo per circa 15 minuti fino a doratura.

Informazioni nutrizionali

1 pezzo circa :

240 kcal 5 g di proteine 8 g di grassi 36 g di carboidrati

Uova strapazzate con salmone stremel

Ingredienti per 4 persone

- 8 ° uova
- 100 ml di latte
- Sale pepe
- 50 g di germogli di fagioli mung
- 2 primavera cipolle
- 2 gambi di menta
- 3-4 gambi di coriandolo
- 2 cucchiai di olio
- 200 g di salmone Stremel

preparazione

15 minuti

1 Sbatti insieme le uova e il latte. Condire con sale e pepe. Dividere i germogli, sciacquarli e scolarli. Mondate e lavate i cipollotti e tagliateli a rondelle. Lavare le erbe aromatiche, scuotere e asciugare.

2 Scaldare l'olio in una padella larga. Versare il composto di latte e uova e preparare le uova strapazzate, mescolando di tanto in tanto. Strappare il salmone e servire con i germogli, i cipollotti e le erbe aromatiche. Questo va bene con la salsa Sriracha e il succo di lime.

Informazioni nutrizionali

1 porzione circa :

360 kcal 26 g di proteine 25 g di grassi 4 g di carboidrati

Torre di frittelle con macedonia di frutta

Ingredienti per 7 persone

- 5 cucchiai di burro o margarina
- 250 g di farina
- 1 cucchiaino di lievito in polvere
- 100 g di zucchero
- confezioni Vanillina di zucchero
- 1 pizzico di sale
- 3 uova (taglia M)
- 400 ml di latte
- 2 cucchiai di burro chiarificato
- 250 g di patatine di copertura di latte intero
- 2 banane (circa 150 g ciascuna)
- 2 mele (ca.200 g ciascuna)
- 2 arance (ca.200 g ciascuna)
- 2 kiwi (circa 125 g ciascuno)
- 5 cucchiai di succo d'arancia
- 5 cucchiai di miele

preparazione

30 minuti

1 Sciogliere il grasso. Mescolare la farina, il lievito, lo zucchero, lo zucchero vanigliato e il sale. Sbatti le uova con una frusta. Mescolare il latte e il grasso liquido. Incorporare gradualmente la miscela di farina, cucchiaio alla volta. Scaldare un po 'di burro chiarificato in una padella rivestita (circa 18 cm Ø) e aggiungere 1/8 della pastella.

2 Friggere i pancake a fuoco medio per circa 3 minuti su ciascun lato fino a dorarli. Disporre le frittelle cotte una sopra l'altra su un piatto e cospargere di gocce di cioccolato, tranne l'ultima. Tenere in caldo nel forno preriscaldato (fornello elettrico: circa 50 ° C).

3 Cuocere allo stesso modo il resto dell'impasto, aggiungendo in porzioni un po 'di burro chiarificato. Pelare le banane e tagliarle a pezzi. Lavate le mele, asciugatele, tagliatele in quarti, eliminate il torsolo e tagliate la polpa a pezzi. Pelare le arance e i kiwi e tagliare a pezzi la polpa.

4 Mescolare la frutta preparata con succo d'arancia e miele in una ciotola. Se lo desideri, aggiungi altro miele a piacere. Dividi la torre per pancake in 6-8 porzioni. Servire con macedonia di frutta

Informazioni nutrizionali

1 persona circa :

560 kcal2350 kJ10 g di proteine23 g di grassi76 g di carboidrati

Popovers mela e cannella

Ingredienti per 12 persone

- 1 mela (ad esempio Braeburn)
- 1 cucchiaino di cannella
- 2 cucchiaini di zucchero
- 25 g di uvetta
- 15 g di burro o margarina
- 3 cucchiaini di olio
- uova a temperatura ambiente (taglia M)
- 250 ml di latte a temperatura ambiente
- sale
- 125 g di farina

preparazione

45 minuti

1 Lavate la mela, asciugatela e tagliatela in quarti. Rimuovere il rivestimento centrale. Taglia 2 quarti a cubetti, usa i quarti rimanenti per altri scopi. Mescolare la cannella e lo zucchero. Mescolare i cubetti di mela con l'uvetta e 2/3 della miscela di cannella e zucchero. Fate sciogliere il grasso in un pentolino e lasciate raffreddare un po '. Mettere 1/2 cucchiaino di olio in ciascuna delle 12 cavità di una teglia. Posizionare la teglia nel forno preriscaldato (fornello elettrico: 225 ° C / convezione: 200 ° C / gas: vedere produttore)

2 Sbattere brevemente le uova, il latte, il grasso e 1/2 cucchiaino di sale con la frusta. Aggiungere la farina tutta in una volta e mescolare fino a quando l'impasto non avrà più grumi. Non mescolare troppo a lungo! Versare la pastella in un misurino

3 Sfornare la teglia. Riempi 1/3 di ogni pozzetto con la pastella. Cospargere con la miscela di mele e uvetta e versarvi sopra la pastella rimasta. Infornate subito in forno caldo per circa 15 minuti. Quindi ridurre la temperatura (fornello elettrico: 175 ° C / convezione: 150 ° C / gas: vedere il produttore) e cuocere per altri 10-12 minuti. Non aprire la porta del forno durante tutto il tempo di cottura. Servire i popovers caldi e spolverare con il restante zucchero alla cannella

Informazioni nutrizionali

1 pezzo circa :

110 kcal 460 kJ 3 g di proteine 6 g di grassi 11 g di carboidrati

Frullato di frutti di bosco con muesli

Ingredienti per 4 persone

- 3 banane
- 100 g di mandorle in mandorle
- 100 g di semi di zucca
- 125 g di fiocchi d'avena sostanziosi
- 3 cucchiai di olio
- 1 bustina di zucchero vanillina
- sale
- 5 cucchiai di miele liquido
- 250 g di lamponi
- 300 g di mirtilli congelati
- 80 ml Bevanda alla mandorla
- 50 g di chips di cocco
- 2 cucchiai di semi di chia
- Pergamena

preparazione

45 minuti

1. Il giorno prima, sbucciate e affettate 2 banane. Mettere in una ciotola e congelare per una notte.

2. Tritare grossolanamente le mandorle per il muesli. Mescolare con semi di zucca e farina d'avena in una ciotola. In un pentolino mettete l'olio, lo zucchero vanigliato, un pizzico di sale e 2 cucchiai di miele. Scaldare a fuoco medio e mescolare fino a quando lo zucchero vanillato si sarà sciolto (non portare a ebollizione). Versare sopra il composto abbondante e mescolare bene il tutto con un cucchiaio di legno fino a ricoprire completamente gli ingredienti secchi.

3. Adagiare su una teglia rivestita di carta da forno e distribuire bene. Cuocere in forno preriscaldato (fornello elettrico: 150 ° C / convezione: 125 ° C / gas: vedere il produttore) per circa 20 minuti fino al giallo dorato. Girare con un cucchiaio di legno dopo ca. 10 minuti. Sfornate la teglia e lasciate raffreddare il muesli.

4. Dividi i lamponi. Mettere le banane congelate, 200 g di lamponi, i mirtilli congelati, la bevanda alle mandorle e 3 cucchiai di miele in un frullatore e mescolare fino ad ottenere una consistenza cremosa. Riempi le ciotole con il frullato di frutti di bosco. Sbucciare e affettare 1 banana. Distribuire le fette di banana, i lamponi rimanenti, le scaglie di cocco e il muesli sul frullato e cospargere con i semi di chia.

Informazioni nutrizionali

1 persona circa :

460 kcal1930 kJ13 g di proteine24 g di grassi47 g di carboidrati

Cialde di patate dolci con avocado e uova

Ingredienti per 4 persone

- 500 g di patate dolci
- 6 ° uova
- 100 g di parmigiano o formaggio a pasta dura vegetariano
- 4 cucchiai di farina
- 1 pizzico (i) di paprika in polvere
- 1 pizzico (i) di noce moscata grattugiata
- sale
- Pepe
- 2 avocado
- 5 cucchiai di olio d'oliva per la piastra per cialde
- Macchina per waffle
- crescione

preparazione

60 minuti

1 Per la pastella dei waffle, lavare le patate dolci, tagliarle a metà e metterle su una teglia. Cospargere le metà della patata dolce con un pizzico di sale e cuocere in forno preriscaldato (fornello elettrico: 200 ° C / convezione: 175 ° C / gas: vedere produttore) per 30-40 minuti fino a quando la polpa della patata dolce è morbida. Quindi lasciate raffreddare brevemente, grattate via la carne delle patate dolci dalla pelle e schiacciatele in una terrina.

2 Grattugiare il parmigiano e aggiungerlo alle patate dolci. Aggiungere due uova, la farina, un pizzico di noce moscata e la paprika in polvere e mescolare fino ad ottenere una pastella omogenea e condire con sale e pepe.

3 Scaldate una piastra per cialde, spennellate con olio d'oliva e metteteci sopra due cucchiai di pastella. Chiudere la piastra per cialde e attendere che i waffle siano croccanti.

4 Nel frattempo scaldare 3 cucchiai di olio d'oliva in una padella, far scivolare le uova rimaste e soffriggere a fuoco medio per circa 2 minuti. Condire con sale e pepe.

5 Togliere gli avocado dal torsolo, sbucciarli, tagliarli a fettine e disporli su 4 piatti separati con i waffle e le uova fritte. Guarnire con il crescione a piacere.

Informazioni nutrizionali

1 porzione circa :

630 kcal 25 g di proteine 35 g di grassi 49 g di carboidrati

Cragel : croissant e bagel

Ingredienti per 4 persone

- 1 uovo (taglia M)
- 1/2 cucchiaino di zucchero
- 1 pizzico di sale
- 1 barattolo (250 g) Impasto fresco refrigerato per 6 croissant
- 1 cucchiaino di semi di sesamo pelati
- Pergamena

preparazione

30 minuti

1 Sbatti insieme l'uovo, lo zucchero, il sale e 1 cucchiaio di acqua. Aprire la lattina, srotolare la pasta e tagliarla in 4 rettangoli di uguali dimensioni (ignorare i fori). Ripiega i rettangoli di un terzo su entrambi i lati lunghi. Tirare le strisce fino a una

lunghezza di 14–15 cm e attorcigliarle come una corda. Piega in un anello e importante: premi bene le estremità.

2 Far bollire molta acqua in una grande casseruola. Posizionare gli anelli di pasta con una schiumarola e lasciarli in infusione per circa 30 secondi su ciascun lato a fuoco medio. Sollevare immediatamente con una schiumarola e disporli su una teglia rivestita di carta da forno.

3 Spennellare la cragel con il composto di uova e cospargere di semi di sesamo. Cuocere in forno preriscaldato, 2 ° rotaia dal basso (fornello elettrico: 200 ° C / convezione: 175 ° C / gas: vedere produttore) per circa 20 minuti.

Informazioni nutrizionali

1 pezzo circa :

240 kcal 1000 kJ 7 g di proteine 13 g di grassi 25 g di carboidrati

Hamburger di muffin per la colazione

Ingredienti per 4 persone

- 150 g di burro morbido
- 85 g di ricotta
- sale
- 11 uova (taglia M)
- 150 g di farina
- 1/2 bustina di lievito per dolci
- 125 g di formaggio cheddar
- 35 g di parmigiano
- 1 spicchio d'aglio
- 40 g di pomodori secchi sott'olio
- 200 g di panna acida
- 2 cucchiai di miele liquido
- 2 cucchiai di concentrato di pomodoro

- Pepe
- 150 g di funghi
- 50 g mix di insalata baby leaf
- 8 ° Pomodorini
- 4 cucchiai di olio
- avocado
- 1 spruzzata di succo di limone
- 8 ° di carta di casi di cottura
- Spiedini di legno

preparazione

75 minuti

1 Mescolare il burro, la ricotta e un pizzico di sale con la frusta dello sbattitore elettrico fino a ottenere una crema. Mescolare 3 uova una dopo l'altra. Mescolare farina e lievito, aggiungere e mescolare brevemente. Grattugiare entrambi i tipi di formaggio e incorporarli nella pastella.

2 Foderare 8 pozzetti di una teglia per muffin (12 pozzetti da circa 100 ml ciascuno) con 1 pirofila di carta ciascuno. Stendere l'impasto nelle vaschette e infornare in forno preriscaldato (fornello elettrico: 175 ° C / convezione: 150 ° C / gas: vedi produttore) per circa 20 minuti.

3 Sbucciate l'aglio e tritatelo finemente. Scolare i pomodori secchi in uno scolapasta e tagliarli finemente. Mescolare la panna acida, il miele, il concentrato di pomodoro, i pomodori e l'aglio, condire con sale e pepe. Mondate, pulite e affettate i funghi. Lavate la lattuga e asciugatela. Sformate i muffin e fateli raffreddare un po '. Togli i muffin dai pozzetti e lasciali raffreddare su una gratella.

4 Lavare i pomodori. Scaldare 2 cucchiai di olio in una padella, soffriggere i funghi e i pomodori energicamente per circa 2 minuti girandoli, aggiustare di sale e pepe. Scaldare 2 cucchiai d'olio in un'altra padella e soffriggere le uova in porzioni con l'aiuto di stampini tondi per uova fritte, condire con pepe.

5 Tagliare a metà l'avocado lungo il torsolo, eliminare il torsolo e la buccia, tagliare la polpa a fettine sottili e condire con il succo di limone. Tagliate i muffin orizzontalmente e spennellateli con la panna acida. Mettere sopra la lattuga, i funghi, l'avocado e l'uovo fritto, quindi mettere il coperchio. Mettere i pomodori sul coperchio e fissarli con 1 spiedino di legno ciascuno.

Informazioni nutrizionali

1 pezzo circa :

630 kcal 2640 kJ 21 g di proteine 51 g di grassi 20 g di carboidrati

Cuori di frittella con sciroppo d'acero e composta di albicocche

Ingredienti per 4 persone

- 1 lattina (425 ml) di albicocche
- 1 bustina di salsa "gusto vaniglia" in polvere
- 200 ml di succo d'arancia
- 3 uova (taglia M)
- 100 ml di latte
- 150 g di yogurt intero
- 150 g di farina
- 1 bustina di lievito per dolci
- 1 pizzico di sale
- 2 cucchiai di zucchero
- 2 cucchiai di olio
- 6 steli di melissa

- 1 cucchiaio di zucchero a velo
- 100 ml di sciroppo d'acero
- 1 cucchiaio di pistacchi macinati

preparazione

60 minuti

1 Per la composta, scolate le albicocche raccogliendo il succo. Mescolare la salsa in polvere e 100 ml di succo d'arancia fino a ottenere un composto omogeneo. Portare a ebollizione 100 ml di succo d'arancia e il succo di albicocca raccolto, togliere dal fuoco. Incorporare la salsa mista in polvere, portare a ebollizione brevemente mescolando, togliere dal fuoco. Tagliare a metà le metà dell'albicocca, mescolare con la salsa all'arancia e lasciar raffreddare

2 Sbattere le uova con la frusta del mixer a mano fino a ottenere una crema leggera e spumosa. Mescolare il latte e lo yogurt, mescolare la farina e il lievito. Aggiungere gradualmente la miscela di farina e latte, sale e zucchero alla crema pasticcera e mescolare fino a ottenere una pastella densa

3 Lubrificare l'interno di 3 taglia cuori in metallo. Scaldare un filo d'olio in una padella antiaderente a fuoco medio. Mettere gli stampini nella teglia, versare l'impasto in porzioni. Lasciate riposare l'impasto per 2-3 minuti, allentate con cura gli stampini con un coltello se necessario. Capovolgere le frittelle e cuocere sull'altro lato fino a doratura. Mantieni i pancake al caldo e lavora la pastella rimanente nello stesso

modo in modo da cuocere un totale di 12 pancake

4 Lavate la melissa, asciugatela e mettete da parte qualcosa per guarnire. Tagliare il resto a listarelle sottili e aggiungerlo alla composta. Spolverate le frittelle con lo zucchero a velo. Condire con lo sciroppo d'acero e servire con la composta. Cospargere di pistacchi e decorare con melissa

Informazioni nutrizionali

1 persona circa :

530 kcal2220 kJ13 g di proteine14 g di grassi

Marmellata di pompelmo e banana

Ingredienti per 5 persone

- 4 ° Pompelmi rosa
- 3 pompelmi gialli
- 1 confezione Zucchero conservante 2: 1
- 2 banane
- 1/2 cucchiaino di cannella

preparazione

30 minuti

1 Sbucciate il pompelmo con un coltello in modo da eliminare anche la buccia bianca. Taglia i filetti. Spremere il succo dalle pareti divisorie e dai resti della buccia e raccoglierlo. Pesare ca. 750 g di

polpa e succo, mescolare con lo zucchero di canna in una casseruola capiente.

2 Pelare le banane, pesare 250 ge tagliarle a fette. Riscaldare la miscela di pompelmo e zucchero mescolando. Cuocere a fuoco vivace mescolando per circa 2 minuti. Aggiungere le banane e la cannella, cuocere per altri 1-2 minuti (test del gel!).

3 Versare caldo in bicchieri puliti e asciutti. Chiudere subito i barattoli ermeticamente, capovolgerli per circa 10 minuti, quindi capovolgerli e lasciarli raffreddare.

Uova di nuvole

Ingredienti per 4 persone

- Pergamena
- 4 ° uova (taglia M)
- 1 cucchiaio di parmigiano grattugiato o formaggio a pasta dura vegetariano
- Pepe

preparazione

15 minuti

1 Preriscaldare il forno per 4 persone (fornello elettrico: 200 ° C / convezione: 180 ° C / gas: vedere produttore). Foderare una teglia con carta da forno. Separare 4 uova (misura M), mettere da parte i tuorli nelle metà del guscio (ad esempio, nella scatola delle uova). Montare a neve gli albumi.

2 Incorporare 1 cucchiaio di parmigiano grattugiato. Distribuire gli albumi in 4 pile sulla teglia. Premere un cucchiaino al centro. Cuocere in forno caldo per circa 6 minuti. Fate scivolare i tuorli nelle cavità e infornate per altri 3 minuti. Condite con pepe.

3 Ha un buon sapore anche cosparso di erbe su crostini di pane con pancetta croccante.

Informazioni nutrizionali

1 porzione circa :

95 kcal 8 g di proteine 6 g di grassi 1 g di carboidrati

Porridge di miglio celeste

Ingredienti per 2 persone

- 100 g di fiocchi di miglio
- 100 g di lamponi congelati
- 100 g di crema di yogurt greco
- 2-3 cucchiai di mirtilli congelati
- 1 cucchiaio di granella di cacao (granella di cacao)
- cannella
- 1-2 cucchiai di sciroppo d'agave

preparazione

15 minuti

1 Portare a ebollizione 1/2 litro d'acqua. Incorporare i fiocchi di miglio e cuocere a fuoco lento per 1-2 minuti mescolando. Aggiungere i lamponi congelati e continuare a mescolare a fuoco basso finché il porridge diventa rosa.

2 Versare il porridge nelle ciotole. Servire con lo yogurt e i mirtilli congelati. Tritate le granelle di cacao e spolverizzate con un po 'di cannella. Condisci con sciroppo d'agave se vuoi. Servite subito.

Informazioni nutrizionali

1 porzione circa :

200 kcal 5 g di proteine 6 g di grassi 28 g di carboidrati

Pane all'uvetta con crema di formaggio

Ingredienti per 6 persone

- 4 ° uova (taglia M)
- 100 ml + 2 cucchiai di latte
- 1 bustina di zucchero vanillina
- 6 fette di pane all'uvetta (circa 60 g ciascuna)
- 200 g di formaggio a doppia crema
- 125 g di Lemon Curd
- 1 1/2 cucchiaino di cannella
- 2-3 cucchiai di zucchero
- 25 g di burro chiarificato

preparazione

20 minuti

1 Per il latte d'uovo, sbattere le uova, 100 ml di latte e lo zucchero vanigliato. Disporre le fette di pane una accanto all'altra in una pirofila. Versate sopra il latte d'uovo in modo uniforme e lasciate in infusione per circa 15 minuti. Girare a metà le fette di pane

2 Nel frattempo, mescolare la crema di formaggio, la crema di limone e 2 cucchiai di latte. Mescola la cannella e lo zucchero. Scaldare il burro chiarificato in due porzioni in una padella larga, friggere 3 fette di pane una dopo l'altra girandole fino a doratura e toglierle.

3 Tagliare a metà a piacere, disporre su un piatto da portata cosparso di una cucchiaiata di crema di formaggio e zucchero alla cannella. Gusto caldo e freddo

Informazioni nutrizionali

1 persona circa :

410 kcal1720 kJ12 g di proteine15 g di grassi55 g di carboidrati

Pompelmo al forno con croccante di farina d'avena

Ingredienti per 4 persone

- 40 g di fiocchi d'avena sostanziosi
- 4 cucchiai + circa 8 cucchiaini di sciroppo d'acero
- 5 g di burro
- 1 pompelmo rosa
- 1 pompelmo giallo
- 4 cucchiai di zucchero di canna
- 150 g di crema di yogurt
- olio
- Foglio di alluminio

preparazione

25 minuti

1 Ricopri un foglio di carta stagnola con olio. Caramellare la farina d'avena e 3 cucchiai di sciroppo d'acero in una padella antiaderente. Infine aggiungere il burro, mescolare brevemente e distribuire la farina d'avena croccante sulla carta stagnola. Lascia raffreddare.

2 Tagliare a metà il pompelmo trasversalmente. Se lo si desidera, rimuovere i singoli segmenti dalle membrane di separazione e dal guscio con un coltello affilato.

3 Foderare una teglia con un foglio di alluminio, adagiarvi sopra le metà del pompelmo e cospargere ciascuna metà con 1 cucchiaino di zucchero di canna e irrorare con 1 cucchiaino di sciroppo d'acero. Gratinare per ca. 10 minuti sotto la griglia preriscaldata.

4 Servire le metà di pompelmo finite con 1 cucchiaio di crema di yogurt e farina d'avena croccante. Condire con 1 cucchiaino di sciroppo d'acero ciascuno.

Informazioni nutrizionali

1 persona circa :

280 kcal 1170 kJ 4 g di proteine 6 g di grassi 51 g di carboidra

Farls Cheddar con uovo fritto e pancetta croccante

Ingredienti per 4 persone

- 450 g farina di frumento più farina per la lavorazione
- 1 bustina di lievito per dolci
- 1 cucchiaino di bicarbonato di sodio, 1 cucchiaino di sale
- 1 cucchiaino di senape inglese in polvere (in alternativa semi di senape finemente macinati)
- 2 cucchiaini di semi di senape gialla, macinati grossolanamente
- 150 g di formaggio, grattugiato (es. Cheddar)
- 280 ml di latticello
- 90 ml di latte intero
- 4 ° pannocchie di pomodorini
- olio d'oliva

- Sale, pepe nero
- 12 ° fette spesse di pancetta
- 4 ° uova (taglia L)
- Olio di semi di girasole
- burro

preparazione

40 minuti

1 Preriscaldare il forno a 220 ° C (forno ventilato 200 ° C). Setacciare la farina, il lievito, il bicarbonato di sodio, il sale e la senape in polvere in una ciotola. Mescolare i semi di senape e il formaggio. Versare il latticello e il latte e lavorare il tutto fino a ottenere un impasto morbido e appiccicoso.

2 Lavorate velocemente l'impasto sul piano infarinato (Ø 22 cm), adagiatelo su una teglia leggermente infarinata e tagliate in 8 pezzi di torta. Separare i pezzi, spolverarli leggermente con la farina e infornare fino a doratura in 20 minuti.

3 Nel frattempo mettete i pomodorini in una piccola pirofila, irrorate con olio d'oliva e condite con sale e pepe. Dopo 10 minuti di cottura unire ai Farl in forno e cuocere per 10 minuti.

4 Nel frattempo, riscaldare una padella (grill) ad alta temperatura fino a quando non fuma. Ridurre a fuoco medio e friggere la pancetta fino a renderla croccante. Contemporaneamente soffriggere le uova fritte in una seconda padella in olio di semi di girasole a piacere.

5 (Ci piacciono i bordi croccanti e i tuorli ancora semiliquidi.) Condite con sale e pepe.

6 Sfornare i polpettoni finiti, tagliare una tasca in ogni pezzo dalla punta, spennellare di burro e farcire con pancetta e uova. Servire con i pomodorini.

Informazioni nutrizionali

1 pezzo circa :

310 kcal 13 g di proteine 15 g di grassi 29 g di carboidrati

Cornetti rip

ieni

alle mandorle

Ingredienti per 6 persone

- 60 g di burro morbido
- 50 g di zucchero
- 1 uovo (taglia M)
- qualche goccia al gusto di mandorla amara
- 80 g di mandorle tritate
- 1 cucchiaino di farina
- 6 ° croissant
- 20 g di mandorle in scaglie
- 2 cucchiai di zucchero a velo
- Pergamena

-

preparazione

20 minuti

1 Mescolare il burro morbido e lo zucchero fino a ottenere una crema. Incorporare l'uovo e il sapore di mandorle amare uno dopo l'altro. Mescolare e incorporare le mandorle tritate e la farina.

2 Preriscaldare il forno (fornello elettrico: 180 ° C / convezione: 160 ° C / gas: vedere produttore). Foderare una teglia con carta da forno. Taglia i croissant nel senso della lunghezza. Farcite con un po 'di crema di mandorle e distribuite il resto sui croissant. Cospargere con le mandorle a scaglie e cuocere in forno per 10–15 minuti. Spolverare con zucchero a velo.

3 Puoi usare i croissant del giorno prima.

Informazioni nutrizionali

1 pezzo circa :

1 kcal 1 g di proteine 1 g di grassi 1 g di carboidrati

Ciotola per la colazione con banana e muesli

Ingredienti per 4 persone

- 150 g di fiocchi d'avena (grossi e fini misti)
- 25 g di semi di zucca
- 50 g di cocco essiccato
- 50 g di mandorle a fette
- 20 g di amaranto
- 20 g di nocciole a scaglie
- 30 g di olio di cocco
- 5 cucchiai di miele
- 1 pizzico (i) di cannella
- 1 PCK . Zucchero vanillino
- 500 g di yogurt greco (10% di grassi)
- 4 ° Banane
- 50 g di mirtilli
- kiwi
- 1 cucchiaio di sciroppo d'acero
- menta

- Pergamena

preparazione

45 minuti

1 Per il muesli, mettere in una ciotola i fiocchi d'avena, i semi di zucca, le mandorle e le nocciole grattugiate, il cocco essiccato, l'amaranto, la cannella, lo zucchero vanigliato e mescolare con il miele e l'olio di cocco.

2 Posizionare il muesli su una teglia con carta da forno e cuocere in forno preriscaldato (fornello elettrico: 200 ° C / convezione: 175 ° C / gas: vedere il produttore) per 20-30 minuti. Tira fuori e lascia raffreddare.

3 Nel frattempo lavate i mirtilli e pelate i kiwi e le banane. Tagliare i kiwi a cubetti sottili, dividere le banane nel senso della lunghezza.

4 Distribuire 4 cucchiai di yogurt greco in ciascuna delle 4 ciotole di cereali. Mettere sopra i cubetti di kiwi, i mirtilli e 2 fette di banana. Cospargere con 3 cucchiai di muesli, irrorare 1 cucchiaio di sciroppo d'acero e guarnire con menta fresca.

Informazioni nutrizionali

1 porzione circa :

810 kcal 21 g di proteine43 g di grassi78 g di carboidrati

Burrito della colazione con pancetta e insalata di avocado

Ingredienti per 4 persone

- 4 fette di pancetta per la colazione
- 2 cucchiai di succo di limone appena spremuto
- sale
- Peperoncino in polvere
- 1 cucchiaio di miele
- 3 cucchiai di olio d'oliva
- 1 scalogno piccolo
- 100 g di rucola
- (ogni 14 cm Ø) Tortillas
- 1 avocado maturo
- Pergamena
- Nastri

preparazione

30 minuti

1 Friggere la pancetta in una padella senza grasso finché non diventa croccante girandola. Toglietele e scolatele su carta assorbente. Per la vinaigrette, sbatti insieme il succo di limone, il sale, il peperoncino e il miele. Incorporate l'olio goccia a goccia.

2 Pelare lo scalogno, tagliarlo a cubetti fini e incorporarlo nella vinaigrette. Pulisci la rucola, lava e asciuga. Tostare le tortillas in padella in porzioni per 1 minuto su ogni lato.

3 Tagliare a metà l'avocado, eliminare il nocciolo, eliminare la polpa dalla pelle e tagliarlo a spicchi. Completare le tortillas con rucola, pancetta e lattuga e condire con vinaigrette. Arrotolare le tortillas in burritos, avvolgere con carta forno e legare con nastri.

Informazioni nutrizionali

1 persona circa :

370 kcal 1550 kJ 8 g di proteine 26 g di grassi 28 g di carboidrati

Crumble di farina d'avena con rabarbaro

Ingredienti per 4 persone

- 3 bastoncini (250 g ciascuno) di rabarbaro
- 100 g di mirtilli
- 2 banane
- 300 g di fiocchi d'avena sostanziosi
- 1 cucchiaio di olio di cocco
- 3 cucchiai di miele liquido
- 5 cucchiai di zucchero di canna
- Bevanda alla mandorla da 500 ml

preparazione

60 minuti

1 Mondate, pelate e tagliate il rabarbaro a pezzi grossi. Dite i mirtilli, lavateli e scolateli bene. Pelare le banane e tagliarle a fettine ad angolo. Mescolare insieme i fiocchi d'avena, l'olio

di cocco, il miele, 4 cucchiai di zucchero, la frutta e il rabarbaro.

2 Versare il composto in una pirofila (circa 1 1/2 l) e versarvi sopra la bevanda alle mandorle. Cospargere con 1 cucchiaio di zucchero. Cuocere in forno preriscaldato (fornello elettrico: 175 ° C / convezione: 150 ° C / gas: vedere produttore) per circa 40 minuti. Sfornate il crumble e servite.

Informazioni nutrizionali

1 porzione circa :

520 kcal11 g di proteine11 g di grassi90 g di carboidrati

Pane vedovo di paglia con uovo fritto

Ingredienti per 1 persona

- 1 bicchiere (125 g) "Pure early carots" (ad es. Da Hipp)
- Sale pepe
- 1 cucchiaino di Sambal Oelek
- 3 cucchiai di burro
- 1 fetta di pane contadino
- 2 uova
- 3-4 gambi di erba cipollina

preparazione

1 Condire le carote con sale e sambal oelek . Scalda 1 cucchiaio di burro in una padella. Arrostire il pane per circa 2 minuti su ciascun lato fino a doratura e rimuoverlo. Scaldare 1 cucchiaio di burro nel grasso per friggere. Sbatti le uova una per una.

2 Friggerle con le uova fritte. Condire con sale e pepe.

3 Lavate l'erba cipollina, asciugatela e tagliatela a rotoli fini. Spalmate il composto di carote sul pane e adagiatevi sopra le uova fritte. Cospargere di erba cipollina.

Informazioni nutrizionali

1 persona circa :

580 kcal 21 g di proteine 35 g di grassi 41 g di carboidrati

Uova strapazzate con strisce di pane integrale tostato

Ingredienti per 2 persone

- 2 dischi di pane integrale
- 1/4 mazzetto di erba cipollina
- 200 g di pomodorini
- 1 cucchiaino di olio d'oliva
- 2 uova (taglia M)
- 100 ml di latte scremato (0,3% di grassi)
- sale
- Pepe

preparazione

15 minuti

Tagliate il pane a cubetti. Tostare in una padella senza grassi a fuoco medio per circa 5 minuti fino a quando saranno croccanti. Lavate l'erba cipollina, scuotetela per asciugarla, salvo qualcosa per guarnire, tagliatela a panini.

Lavate i pomodori e tagliateli a metà. Togli il pane dalla padella. Scaldare l'olio, aggiungere i pomodori e stufare per 1 minuto. Rimetti il pane nella padella. Sbattere insieme le uova, l'erba cipollina e il latte. Condire con sale e pepe.

Versate l'uovo nella padella e lasciate riposare mescolando. Tagliate leggermente l'erba cipollina rimanente. Disporre le uova strapazzate nei piatti e guarnire con l'erba cipollina.

Informazioni nutrizionali

1 persona circa :

230 kcal960 kJ13 g di proteine10 g di grassi21 g di carboidrati

Involtini di spinaci e formaggio di capra

Ingredienti per 12 persone

- 400 g di spinaci giovani
- sale
- 450 g di farina
- 1 bustina di lievito secco
- 1 cucchiaino di zucchero
- 150 g di yogurt intero
- 4 cucchiai di semola di mais
- 3 cucchiai di olio di semi di girasole
- 300 g di pomodori
- 1 cipolla rossa piccola
- Pepe
- 2 cucchiai di aceto di vino
- 150 g di crema di formaggio di capra

preparazione

50 minuti

1 Dividere gli spinaci, lavarli e, ad eccezione di 24 belle foglie, sbollentarli in acqua bollente salata per circa 1 minuto. Versate gli spinaci in un colino, sciacquateli con acqua fredda e scolateli bene. Tritate gli spinaci molto finemente

2 Impastare la farina, il lievito, 1/2 cucchiaino di sale, lo zucchero, gli spinaci e lo yogurt con il gancio per impastare dello sbattitore elettrico fino a formare un impasto omogeneo. A seconda della consistenza, aggiungere 4-6 cucchiai d'acqua. Formare una palla con l'impasto e lasciar lievitare in un luogo caldo per circa 1 ora

3 Impastate la pasta e stendetela di circa 2 cm di spessore sul piano di lavoro cosparso di semolino. Utilizzare un cutter rotondo (circa 8 cm Ø) per ritagliare ca. 12 rotoli, impastando gli avanzi più e più volte. Coprite con un canovaccio e lasciate lievitare per altri 30 minuti

4 Scaldare 1 cucchiaio di olio in ciascuna delle 2 padelle grandi e friggere / cuocere gli involtini a fuoco medio per circa 12 minuti, girandoli. Nel frattempo lavate, mondate e tagliate a dadini i pomodori. Pelare la cipolla e tagliarla a cubetti. Condire i pomodori e le cipolle con sale, pepe, aceto e 1 cucchiaio di olio

5 Tagliare i rotoli finiti orizzontalmente secondo necessità, spennellare con formaggio e cuocere in forno preriscaldato (fornello elettrico: 225 ° C / convezione: 200 ° C / gas: vedere produttore) per

circa 4 minuti. Servire con insalata di spinaci e pomodori

Informazioni nutrizionali

1 pezzo circa :

200 kcal 840 kJ6 g di proteine 5 g di grassi 32 g di carboidrati

Greenie mattutino

Ingredienti per 4 persone

- 50 g di cimette di broccoli
- 30 g di spinaci baby
- 3 steli di melissa
- 1/2 kiwi
- 1/2 avocado
- 1/2 cucchiaio di mandorle tritate
- 1 cucchiaio di limoni
- 150 ml di succo di mela

preparazione

10 min

1 Lavare le cimette di broccoli e cuocerle in acqua bollente salata per 6–8 minuti finché non saranno morbide. Scolare, sciacquare con acqua fredda e

lasciar raffreddare. Separare gli spinaci, lavarli e scolarli.

2 Lavare la melissa, scuoterla per asciugarla e privarla delle foglie. Pelare 1/2 kiwi e tagliarlo a pezzetti. Rimuovere 1/2 avocado dalla pelle e tagliarlo a pezzetti. Mettere tutti gli ingredienti in una ciotola alta con 1/2 cucchiaio di mandorle tritate, 1 cucchiaio di limone e 150 ml di succo di mela.

3 Frullare finemente con un frullatore a immersione o in una planetaria. Versare in un bicchiere e servire subito.

Informazioni nutrizionali

1 porzione circa :

310 kcal 6 g di proteine 22 g di grassi 20 g di carboidrati

Toast all'uovo fritto con pancetta e sciroppo d'acero

Ingredienti per 4 persone

- 1/2 mazzetto di erba cipollina
- 4 fette di pane tostato integrale
- 8 fette di pancetta
- 2 cucchiaini di burro
- 4 ° uova
- Pepe
- 1 cucchiaio di sciroppo d'acero per condire

preparazione

20 minuti

1 Lavate l'erba cipollina, asciugatela e tagliatela a rotoli fini. Ritagliare un cerchio (circa 5 cm Ø) al centro di ogni fetta di pane tostato.

2 Friggere la pancetta in una grande padella antiaderente fino a renderla croccante. Tira fuori, tieniti al caldo. Scaldare 1 cucchiaino di burro nel grasso di pancetta. Aggiungere 2 cerchi di pane e 2 fette di pane ciascuno. Sbattete 2 uova e adagiatele sulle fette di pane.

3 Friggere per 1–2 minuti a fuoco medio-basso. Girare e friggere di nuovo per 1–2 minuti. Condite con pepe. Tenere in caldo o friggere tutti i pani e i cerchi di pane in due padelle contemporaneamente.

4 Disporre il pane con i cerchi di pane e la pancetta. Eventualmente irrorare di sciroppo d'acero e cospargere di erba cipollina.

Informazioni nutrizionali

1 pezzo circa :

270 kcal 13 g di proteine 17 g di grassi 15 g di carboidrati

Muesli Bircher con papaya e miele

Ingredienti per 1 persona

- 5 g di semi di girasole
- 25 g di fiocchi d'avena delicati
- 2 cucchiai di latte magro (1,5% di grassi)
- 50 g di yogurt al latte scremato (0,3% di grassi)
- 1/2 (circa 200 g) di papaia
- 10 g di miele liquido

preparazione

10 min

1 Tostare i semi di girasole in una padella senza grasso, toglierli subito e lasciarli raffreddare. Mescolare insieme la farina d'avena, il latte e lo yogurt e metterli in una piccola ciotola

2 Pelate la papaya, privatela dei semi e tagliate la polpa a cubetti. Metti la papaya sopra la miscela di yogurt e farina d'avena e condisci con il miele. Cospargere di semi di girasole

Informazioni nutrizionali

1 persona circa :

190 kcal790 kJ8 g di proteine 5 g di grassi29 g di carboidrati

Panino con insalata con 1 bicchiere di bevanda alle mandorle

Ingredienti per 4 persone

- 125 g di cetriolo
- 8 ° ravanello
- 75 g di lattuga di agnello
- 3-4 cucchiai di yogurt magro
- Succo di 1/2 limone
- sale
- Pepe
- 8 ° Fette di panino integrale
- 4 cucchiai di concentrato di pomodoro
- pepe dal macinino

- 150 ml Bevanda alla mandorla (bevanda di soia)

preparazione

15 minuti

1 Pulite e lavate il cetriolo e tagliatelo a fettine sottili. Mondate, lavate e affettate i ravanelli. Pulite e lavate bene la lattuga di agnello e scolatela al setaccio. Per il condimento, mescolare lo yogurt e il succo di limone fino a che liscio, condire con sale e pepe

2 Tostare le fette di panino una dopo l'altra nel tostapane. Spennellare le fette di pane tostato con 1/2 cucchiaio di concentrato di pomodoro ciascuna. Coprite 4 fette di pane tostato con insalata di agnello, cetriolo e ravanelli.

3 Distribuire sopra la salsa allo yogurt. Coprite con le restanti fette di pane tostato. Affettate il panino in diagonale, disponetelo sui piatti e cospargete di pepe nero dal mulino se vi piace. Un bicchiere di bevanda alla mandorla va bene con questo

Informazioni nutrizionali

1 persona circa :

240 kcal 1000 kJ9 g di proteine 4 g di grassi 41 g di carboidrati

Involtini di grano

Ingredienti per 12 persone

- 500 g di farina
- 1 1 / 2–2 cucchiaino di sale
- 10 g di lievito di birra fresco
- Farina
- Pergamena

preparazione

45 minuti

1 Mescolare la farina e il sale in una ciotola. Sbriciolare il lievito e mescolare con 300 ml di acqua ghiacciata. Aggiungere alla farina e

impastare fino a ottenere una pasta liscia con il gancio per impastare dello sbattitore a mano

2 Coprite e lasciate lievitare in frigorifero per tutta la notte. Il giorno successivo, dividere l'impasto in 12 pezzi uguali. Formare ciascuno un panino con le mani infarinate. Disporre su due teglie rivestite di carta da forno e incidere trasversalmente o longitudinalmente a piacere

3 Riempite d'acqua una pirofila piccola e mettetela nel forno preriscaldato (fornello elettrico: 225 ° C / ventola: 200 ° C / gas: livello 4). Cuocere gli involtini per 12-15 minuti. Sfornate, mettete su una gratella e lasciate raffreddare o raffreddare a piacere. Disporli in un cestino. Burro e marmellata si sposano bene con questo

Informazioni nutrizionali

1 pezzo circa :

140 kcal580 kJ4 g di proteine 30 g di carboidrati

Formaggio e pane alle mele

Ingredienti per 1 persona

- 30 g di Camembert (30% di grasso sulla sostanza secca)
- 1 cucchiaio (30 g) di Quark (20% di grassi)
- sale
- 1 cucchiaio (10 g) di gherigli di noce
- 1 (circa 100 g) piccola mela
- 1 fetta (50 g) di pane integrale
- bacche rosa
- saggio

preparazione

10 min

1 Tritate il formaggio a cubetti, mescolatelo con il quark e aggiustate di sale. Tritate grossolanamente le noci. Lavate e tagliate la mela in quarti e privatela del torsolo. Taglia la mela a spicchi. Spalmare la crema di formaggio sul pane, adagiarlo su un piatto.

2 Distribuire gli spicchi di mela sul pane e sul piatto. Cospargere di noci. Cospargere di bacche rosa e guarnire con la salvia.

Informazioni nutrizionali

1 persona circa :

310 kcal 1300 kJ16 g di proteine13 g di grassi32 g di carboidrati

Croissant portoghese con serrano e manchego

Ingredienti per 6 persone

- 75 ml di latte
- 375 g di farina
- 1/2 cubetto (21 g) di lievito fresco
- 75 g di zucchero
- 75 g di burro o margarina
- 1 pizzico di sale
- 4 ° tuorlo d' uovo (taglia M)
- 6 fette di formaggio Manchego
- 12 fette di prosciutto serrano
- Farina
- Pergamena

preparazione

40 minuti

1 latte caldo. Mettete la farina in una ciotola, fate una fontana al centro e sbriciolate il lievito. Aggiungere 25 g di zucchero e latte tiepido e impastare con un po 'di farina dal bordo fino ad ottenere una pasta densa.

2 Coprite e lasciate lievitare per 15-20 minuti. Aggiungere il grasso morbido a pezzi, 50 g di zucchero, sale e 3 tuorli d'uovo al pre-impasto nella ciotola e impastare con il gancio dello sbattitore a mano fino a formare una pasta lievitata liscia.

3 Coprite e lasciate lievitare per altri 40 minuti. Stendete la pasta lievitata su un piano di lavoro infarinato formando un rettangolo (40 x 25 cm). Tagliare in 6 pezzi di torta con un coltellino. Arrotolate bene i pezzi di pasta e adagiateli su una teglia rivestita di carta da forno. Lasciar lievitare in un luogo caldo per altri 30 minuti.

4 Montare 1 tuorlo d'uovo e 2 cucchiai d'acqua. Spennellate sottilmente i croissant. Nel forno preriscaldato (fornello elettrico: 200 ° C / forno ventilato: 175 ° C / gas: livello 3) Cuocere per ca. 15 minuti. Lascia raffreddare. Tagliare a metà orizzontalmente e guarnire con formaggio e prosciutto

Informazioni nutrizionali

1 pezzo circa :

590 kcal 2470 kJ24 g di proteine29 g di grassi58 g di carboidrati

Pane con crema di trota, frisee , uova e olio al prezzemolo

Ingredienti per 2 persone

2 uova (taglia M)

75 g di filetto di trota affumicata

2 cucchiaini di crema di rafano

3 cucchiaini di crema fraiche di formaggio

   sale

6 gambi di prezzemolo

3 cucchiaini di olio d'oliva

qualche foglia di insalata Frisée

4 fette di pane integrale

Pepe nero

preparazione

10 min

Lessare le uova in acqua bollente per circa 6 minuti e sciacquare con acqua fredda. Pelate e tagliate a metà le uova. Schiacciare il filetto di trota con una forchetta, mescolare con la crema di rafano e la crème fraîche . Condire a piacere con sale. Lavare il prezzemolo, shakerarlo e tritarlo molto finemente, mescolare con olio d'oliva e aggiustare di sale. Lavare l' insalata Frisée , scuoterla per asciugarla e tagliarla a pezzetti

Spennellare le fette di pane con la crema di trota, coprire con la lattuga e 1/2 uovo ciascuna. Condire con olio al prezzemolo e cospargere di pepe

Informazioni nutrizionali

1 persona circa :

450 kcal1890 kJ22 g di proteine23 g di grassi35 g di carboidrati

Frittate di peperone rosso arrosto e tonno

Ingredienti per 4 persone

- 2 lattine (185 g ciascuna) di tonno (nel suo stesso succo)
- 1 bicchiere (370 ml) di peperoni rossi arrostiti in salamoia
- 2 spicchi d' aglio
- 40 g di parmigiano
- 4 cucchiai di olio
- 8 ° uova fresche (taglia M)
- sale
- Pepe
- 5 cucchiai di olio d'oliva
- 1 gambo di timo

preparazione

25 minuti

1 Scolare e strappare il tonno. Scolare i peperoni e tagliarli a listarelle sottili. Pelate e tritate l'aglio. Affettare finemente il parmigiano

2 Scaldare 1 cucchiaio di olio in una padella, soffriggere la paprika. Aggiungere l'aglio, soffriggere per circa 1 minuto, mettere in una ciotola, unire il tonno e metà del parmigiano. Separare le uova. Montare gli albumi a neve finché non sono ben fermi. Condire con sale e pepe. Incorporare il composto di peperone e tonno

3 Scaldare 1 cucchiaio di olio in una padella (14,5 cm Ø) e lasciare riposare 1/4 della miscela di frittata per 5–6 minuti. Mettete la frittata su un piatto ancora calda. Metti 2 tuorli d'uovo sopra. Tenere al caldo in forno. Lavorare la rimanente miscela di frittata e le uova allo stesso modo. Lavare il timo, staccare le foglie e cospargere le frittate. Cospargere le rimanenti scaglie di parmigiano e servire

Informazioni nutrizionali

1 persona circa :

470 kcal1970 kJ36 g di proteine33 g di grassi6 g di carboidrati

Crema di avocado e piselli

Ingredienti per 6 persone

- 200 g di piselli surgelati
- sale
- 2 avocado maturi (ca.250 g ciascuno; es. Ryan)
- 1 coriandolo del governo federale
- Succo di 1 lime
- Pepe

preparazione

15 minuti

1 Cuocere i piselli in acqua bollente salata per circa 5 minuti. Scolare e raffreddare a freddo. Taglia a metà gli avocado, elimina i semi. Rimuovere la polpa dalla pelle e schiacciarla o schiacciarla con i piselli in una ciotola. Lavate il coriandolo e asciugatelo.

2 Cogliere le foglie e tritarle finemente. Mescolare con la crema di avovado con il succo di lime, aggiustare di sale e pepe. Il pane è buono con esso

Informazioni nutrizionali

1 persona circa :

160 kcal 670 kJ 3 g di proteine 15 g di grassi 5 g di carboidrati

Fette biscottate con crema di formaggio alle mandorle

Ingredienti per 1 persona

- 1 cucchiaio di mandorle con la buccia
- 1 cucchiaino di pistacchi
- 100 g di crema di formaggio (21% di grassi)
- 1 fetta (14 g) di pane croccante al sesamo
- 1 foglia di lattuga
- (5 g l'uno) Patatine al sesamo
- 1 cucchiaino di miele
- 200 ml di latte scremato (0,3% di grassi)
- 75 g di lamponi
- Melissa

preparazione

12 minuti

1 Tritate le mandorle e i pistacchi e mescolateli con la crema di formaggio. Coprite la fetta di pane croccante con le foglie di lattuga. Spalmare la crema di formaggio su tutte le fette biscottate.
2 Condire con il miele. Frulla il latte e i lamponi in un frullatore. Servire la bevanda e il pane croccante guarnito con melissa

Informazioni nutrizionali

1 persona circa :

450 kcal1890 kJ26 g di proteine 20 g di grassi41 g di carboidrati

CONCLUSIONE

Il cibo consumato in questo momento ha un'influenza decisiva sulla risposta fisiologica del corpo, sia fisicamente che mentalmente. La colazione è considerata una delle assunzioni più importanti della giornata per diversi motivi, uno dei quali perché fornisce l'energia e le sostanze nutritive di cui l'organismo ha bisogno per iniziare la giornata e aiuta a riorganizzare i cambiamenti metabolici avvenuti durante la notte.

Mentre dormiamo, le riserve energetiche fornite a cena sono state esaurite ed è necessario rinnovarle prima di iniziare qualsiasi attività. Abbiamo bisogno di carboidrati, che vengono trasformati in glucosio, che è il nostro carburante e consente al nostro cervello di funzionare correttamente. Abbiamo anche bisogno di fibre per la funzione intestinale, cioè per evitare problemi come la stitichezza. O vitamine, chiavi di molteplici funzioni, come le prestazioni intellettuali e l'umore; e minerali, necessari per la crescita e il mantenimento di ossa e denti, ma anche per i muscoli.

1

Lightning Source UK Ltd.
Milton Keynes UK
UKHW050959160321
380363UK00005B/58

9 781801 972970